科学
笔记

超能力笔记

如何成为一名静电超人

陈若冰/著

天津出版传媒集团
新蕾出版社

图书在版编目(CIP)数据

超能力笔记/陈若冰著.—— 天津：新蕾出版社，2023.11
ISBN 978-7-5307-7642-1

Ⅰ.①超… Ⅱ.①陈… Ⅲ.①静电-儿童读物 Ⅳ.
①O441.1-49

中国国家版本馆CIP数据核字(2023)第187476号

书　　名：	超能力笔记　CHAO NENGLI BIJI
出版发行：	天津出版传媒集团 新蕾出版社
	http://www.newbuds.com.cn
地　　址：	天津市和平区西康路35号（300051）
出 版 人：	马玉秀
电　　话：	总编办（022）23332422
	发行部（022）23332351　23332679
传　　真：	（022）23332422
经　　销：	全国新华书店
印　　刷：	天津海顺印业包装有限公司
开　　本：	889mm×1194mm　1/32
字　　数：	31千字
印　　张：	1.75
版　　次：	2023年11月第1版　2023年11月第1次印刷
定　　价：	22.00元

著作权所有，请勿擅用本书制作各类出版物，违者必究。
如发现印、装质量问题，影响阅读，请与本社发行部联系调换。
地址：天津市和平区西康路35号
电话：（022）23332677　邮编：300051

如果你有意学习超能力，
成为一名**伸张正义的英雄**，
这是最好的时机。
准备好了吗？

我，查理·西马，这个世界上独一无二的静电超人，但其实我并非生来就有超能力。9岁以前，我是一个再普通不过的男孩，直到那天，我偶然陷入静电的海洋中，从此命运的齿轮开始转动——我变身成为"静电超人"，开启了惩恶扬善的传奇之路。

　　很快，我的壮举传遍了整座城市，我成为无与伦比的超级英雄，然而许多为非作歹的人也在伺机而动。当下，最迫切的任务就是集结正义的力量，让最有天赋的人聚集在一起，跟我一起学习威力强大的"静电攻击"。因此，我将自己奇特超能力的秘密写在这本书里，期望找到优秀的传人。你是否愿意接受挑战，做我的传人？如果你觉得任务艰巨，请不要把这本书扔在书架上置之不理，送给别人吧，说不定他能将我的静电超能力发扬光大。

　　祝你成功！

查理·西马
Charles Simard

入门测试

想要成为静电超人的传人,先要通过入门测试,验证你的资质和天赋。

本测试一共10道题,答对6道题以上,即为合格,可以进入"静电超人训练营"进行学习;答对8道题以上,证明你天赋异禀,是静电超人传人的最佳人选。快来测试一下吧!

❶ 电与我们的生活息息相关,很多物品都需要用到电,下面哪个物品不需要用到电?(　　)

A.电视　B.电脑　C.电风扇　D.电木器具

❷ 在穿脱毛衣时,我们经常会听到"噼里啪啦"的声音,请问在什么季节常发生这种现象?(　　)

A.春季　B.夏季　C.秋冬季节　D.四季都可以

❸ 日常穿什么材质的衣物,不容易产生静电?(　　)

A.羊毛拖鞋　B.丝绸裙子　C.棉麻裤子　D.尼龙外套

❹ 瓜果蔬菜不仅可以吃,还可以用来发电。请问下面哪种食物发电效果最弱?(　　)

A.柠檬　B.苹果　C.土豆　D.西红柿

❺ 谁才是"雷电之王"？海洋中很多鱼类都能放电，下面哪种鱼的放电威力最大？（   ）

　　A.电鳐   B.电鳗   C.象鼻鱼   D.电鲶

❻ 高压线很危险，一旦触碰就会有生命危险。如果你不小心走到高压线掉落的附近，想要安全离开一定不可以（   ）。

　　A.马上跑开   B.单脚跳着走   C.双脚并拢蹦着走

　　D.两脚摩擦着不离开地面小步移动

❼ 在塑胶垫上吹起一个泡泡，使用摩擦过的气球靠近泡泡，并小范围移动，会发生什么现象呢？（   ）

　　A.泡泡破了

　　B.泡泡被我们"牵着鼻子"走

　　C.泡泡没有反应

　　D.泡泡明显变小

❽ 拿一把塑料尺在头发上反复摩擦，之后用尺子一端去靠近纸屑，会发生什么现象呢？（   ）

　　A.纸屑仍然位于原处

　　B.纸屑互相排斥散开了

　　C.纸屑聚集成一团

　　D.纸屑被吸引到尺子上

❾ 很多小朋友都在马路上见过油罐车，除了车身上面那个巨大的标有危险标志的圆柱形油罐，你有发现车尾还拖着神秘的长长的铁链吗？你知道这条铁链有什么作用吗？（ ）

　　A. 不小心从车上掉落的某个装置

　　B. 为了导电，防止静电积累引发爆炸和火灾

　　C. 提醒路人不要靠近

　　D. 提醒后面车辆保持车距

扫一扫，获取答案

❿ 科技馆内通常都有静电球，你去体验过吗？快来画出手摸静电球后，头发的形状吧！

静电超人装备

静电超人没有超人服和拖鞋,就像没有壳的蜗牛、没有牙的海狸、没有脖子的长颈鹿,是完全没有威力的。所以,快来准备一套酷炫的静电超人装备吧!

超人服一定要是**尼龙材质**的,这样才好制造静电

与之配套的**红眼罩**更是不可或缺

一件随风飘扬的**红披风**

最重要的是要有一双**羊毛拖鞋**

静电超人课程

亲爱的小朋友，电拥有强大的力量，我们日常生活中用到的手机、电脑、电视、电冰箱等很多东西都离不开电。

静电也是一种电，只是它不同于我们通常所用的电。静电不需要电源线，不需要电池，也不需要插头。生活中的静电现象无处不在：

秋冬季节穿脱毛衣时，常听到"噼里啪啦"的声音，身处暗处时还能看到静电火花；

干燥的天气，用塑料梳子梳头发，头发就会"张牙舞爪"地立起来；

手拿塑料袋时，塑料袋往往会紧贴手部，甚至有些难以取下。

……………

在"静电超人"系列丛书中，查理·西马在穿尼龙材质的钢蓝色超人服时，在穿着外婆送的羊毛拖鞋在地毯上拖着脚走路时，身边响起的一连串"噼啪"声也是静电现象，而这正是查理·西马成为静电超人的秘密所在。

接下来就让我们一起去解密静电超人的超能力吧！

超能力解密1

静电超人身上的"静电"到底是何方神圣?

这个世界上大部分的物体是由**分子**或**原子**组成的,原子由带**正电荷的原子核**和带**负电荷的电子**组成。通常情况下,物体的正电荷与负电荷的数量相同,对外表现出"**不带电状态**"。重点来喽!当正电荷和负电荷的数量不一样的时候,会发生什么呢?答案就是**物体带电**啦!

两个不同材质的物体之间相互接触并摩擦时,一个物体会失去一些电子,这些电子会转移到另一个物体上,这个物体会携带正电荷,而另一个物体因得到电子而带负电。这样,两个物体上就分别带上了电荷。

静电就是趴在物体上静止不动的电荷小人儿。

静电超人科学小课堂

静电会给我们的生产生活造成哪些危害？
如何利用静电为我们服务？

在许多领域，静电会带来重大危害和损失。例如，1967年，阿波罗1号在地面执行模拟发射测试中，由于静电放电导致密闭的座舱起火燃烧，三名宇航员因此丧生。在火药制造过程中，由于静电放电造成的爆炸伤亡事故时有发生。而在电子产品的制造、运输和存储过程中，所产生的静电会使器件局部损坏，影响产品的可靠性。

静电虽然有害，但是如果没有静电，复印机就无法被发明出来。1938年，美国人切斯特·卡尔森制造出一台复印机，完成了第一张复印图片。他制造的复印机的基本原理是利用正、负电荷之间的静电吸引作用，将墨粉吸附到复印纸上。另外，我们平时生活中的静电拖把，也是利用静电原理吸附灰尘和毛发的。

超能力解密2

查理·西马穿上超人服和拖鞋时，为什么会发出一连串的"噼啪"声？

涤纶、羊毛、尼龙等面料都容易起静电。

查理·西马的尼龙材质的钢蓝色超人服，是在烘干机的干燥环境中烘干的。在烘干过程中，衣物在干燥环境中不断摩擦，产生了不少静电荷附着在衣服上，再加上当时正值深秋时节，气候干燥，查理·西马穿上刚从烘干机中拿出来的超人服，衣服的不同部位之间、衣服和皮肤之间带着**相反电性的电荷**，它们中间的空气层会被击穿，产生**放电现象**，出现一连串细微的"噼啪"声，让人仿佛畅游在一片静电的海洋之中！

羊毛拖鞋也是同样的原理,查理·西马穿上它走路时,羊毛拖鞋和地毯不断摩擦,产生了不少静电。

静电超人生活小妙招

如何防止家用地毯起静电?

家用地毯在秋冬季节容易起静电,这会使我们的身体感到不适。人们可以购买防静电地毯,防静电地毯在生产时,会加入导电纤维,直接把静电导入大地。如果买地毯时没有买防静电地毯,可以喷洒防静电液来防止静电的产生。

超能力解密3

为什么查理·西马不敢触碰门把手？

当时查理·西马身上充满了静电，如果他去靠近金属门把手，门把手会感应出相反电性的大量电荷，它们和查理·西马身上的电荷之间会形成巨大的**电场**，这会击穿中间的**空气层**，发生**放电现象**，那么查理·西马就会"**触电**"，接触到金属门把手的部位会有刺痛感和酥麻感，同时他还会紧张、心慌，被吓一跳。

静电超人生活小妙招

如何防止被金属门把手上的静电击打？

想要避免来自金属门把手上的静电击打，除了请其他人帮忙来开门之外，还有其他好的解决办法吗？

当然有，我们可以先把手清洗一下，擦点护手霜，避免手部干燥，然后再去摸门把手。或者先把手放墙上摸一下去除静电。

另外，还可以用钥匙等小金属器件，先接触门把手来消除静电，然后再用手触摸。

超能力解密4

查理·西马的静电攻击为何让大乔一伙抱头鼠窜？他的身体又为何会发光？

查理·西马在危急时刻，将身体里储存的静电持续释放出来，用强大的静电攻击大乔一伙，这个过程相当于一次迷你的**人造闪电**。

这个时候大乔一伙会瞬间感受到静电攻击的威力：他们的皮肤会有灼烧的疼痛感，还能看到电弧发出的火花（这也就是大乔一伙看到查理·西马在发光的原因），还可以听到放电电弧激荡空气产生的声波——"噼啪"声，所以大乔一伙不得不仓皇逃走。

不过，我们也不用特别担心，静电的电压虽然可以高达上万伏，但是电量很小，且放电时间极短。最重要的是，静电在正常条件下不经过人体内部，只是从皮肤表面经过，所以不会对人体造成重大伤害。

静电超人科学小课堂

萤火虫为什么会发光？

萤火虫会发光，是因为它的腹部末端内充满了含磷的发光质（荧光素）及发光酵素（荧光素酶），荧光素酶催化荧光素反应的过程中会发出荧光，所以我们可以看到萤火虫腹部会发出微弱的亮光。

超能力解密5

牛顿三世身上的毛为什么会直立起来？

牛顿三世喜欢被人抚摸，所以查理·西马满足了它的需求，不停地抚摸它。由于查理·西马身上储存了大量的**静电荷**，当他通过接触的方式抚摸牛顿三世时，牛顿三世身上就带上了同种的电荷。在**同种静电荷相互排斥**的作用下，牛顿三世的每根毛之间也产生了排斥，形成特定的形态，毛都直立了起来。科技馆内一般都有静电球，当我们触摸静电球时，头发便会一根根竖起来，形成"怒发冲冠"的形象。这是相同的原理。

罗埃尔夫人抓住了查理·西马的手臂，通过接触，她也带了大量的同种静电荷，于是她的长头发在静电作用下根根竖起！

同样的道理，查理·西马与同学们手拉手围成一圈，通过接触的方式把同种静电荷传到各个同学身上，因此，同学们的头发都竖起来了。

超能力解密6

一个带电的物体为什么会吸引另一个物体?

一个带电的物体向不带电的物体靠近时,不带电的物体靠近带电物体的那一端会感应从而产生相反电性的电荷,它和带电物体上的异种电荷相互吸引。这个不带电的物体感应出电荷的现象,叫**感应起电**。当两个物体相互吸引靠近并接触时,带电的物体上的部分电荷会通过接触的方式,跑到不带电的物体上,使得不带电的物体带电,这种起电的方式称为**接触起电**。

静电球发生意外后,范·德·格拉夫大喊"不要触碰金属,否则会吸引球体",是因为触碰金属后,金属会和人体连接成一个整体,该整体更容易产生大量的静电感应电荷,吸引带电的静电球。这也是相同的原理。

超能力解密7

为何电线发生短路是件很可怕的事情?

电荷在定向运动时,同种电荷会像排好队的小人儿一样,朝一个方向跑,这就形成了**电流**。

如果在跑的过程中,没什么阻碍,那么电荷小人儿将跑得非常快,此时电流非常大,供给电荷的装置将不能承受如此大的电流,从而受到损坏。这个现象我们称为**短路**。短路的发生会造成很严重的后果,它会使导线温度升高,烧坏用电器,所以我们一定要尽量避免哟!

查理·西马触及安吉利库的要害,"如同电线发生短路,天使变为魔鬼……"可见招惹了安吉利库,让她生气,是件多么恐怖的事情呀!

静电超人生活小妙招

生活中如何安全使用插座？

家里的墙上通常有两孔和三孔插座，小朋友们知道它们的区别吗？

三孔插座比两孔插座多了一条接地线。家用电器出现漏电故障或者出现感应电荷时，接地线能把这些静电荷及时导入大地，防止电荷累积出现危险。因此，三孔插座的安全性更高，对用户更有保护作用，适合大功率家用电器，如冰箱、热水器、洗衣机等。而两孔插座适合小功率家用电器，如台灯、电吹风、电风扇等。小朋友在用插座时可不要用错哟！

超能力解密8

怎样储存电能？

在书中，静电超人的身体可以储存静电。在现实生活中，电能很难直接储存，只能转化成其他形式的能量储存起来。比如，转化成**化学能**，储存在**电池**中；转化成**动能**，储存在**飞轮**中；转化成**势能**，储存在**抽水蓄能电站**中。

超能力解密9

大乔口中的放电器是什么？

大乔口中的放电器其实是一种能瞬间产生高压脉冲的仪器，它可产生强烈电击，使被击中者产生强烈触电的感觉，全身麻木，浑身无力，瞬间丧失作战能力。

我们日常生活中见到的警察在执行任务时用到的电警棍，就和大乔说的放电器类似，它可以用来防身。

超能力解密10

弗丽斯小姐的"友谊手环"为何能让静电超人失去超能力？

弗丽斯小姐的"友谊手环"上含有大量的衣物柔顺剂。没错，衣物柔顺剂消除静电的功效可是一流的。这是因为衣物柔顺剂的主要作用成分是**阳离子表面活性剂**，它通过附着在衣物表面，使纤维带上同种电荷，纤维间相互排斥，从而降低了摩擦起电的可能性。这也正是静电超人的超能力消失的真正原因。

所以，在清洗衣物时加入适量的柔顺剂，不仅可以使衣物更加柔顺清香，还可以减少静电的产生。

静电超人生活小妙招

消除衣物静电的小妙招有哪些？

除清洗衣物时加入柔顺剂外，我们还可以通过擦身体乳的方式，使得皮肤保持湿润，减少静电的产生；用金属晾衣架或其他金属制品接触衣物，将衣物上的静电中和；使用负离子梳产生负电荷，中和衣物上的正电荷等，这些都是消除静电的常用方法。

超能力解密 11

为什么 X 射线不会被毛衣遮挡住？

查理·西马穿毛衣时领口太小，头钻不出来，被毛衣挡住了视野，这时他为什么说要是像超人那样双眼能放出 X 射线就好了，这样就不会被毛衣遮住视野了？

这是因为，X 射线是一种穿透性强的**电磁波**，能够穿透很多物质。人们经常利用 X 射线成像来诊断疾病，比如我们去医院做的 X 光检查，就可以用 X 射线穿透胸部来查看我们肺部的疾病。地铁、机场等地的安检系统，也是利用 X 射线的强穿透性来成像的，它穿透乘客的行李箱，查看他们是否携带违禁物品。

超能力解密12

范·德·格拉夫的静电发生器是如何工作的?

罗伯特·杰米森·范德格拉夫是荷兰裔美国物理学家,他发明了范德格拉夫起电机。这是一种用来产生静电高压的装置,可以通过传送带将产生的静电荷传送到中空的金属球表面。文中的人物"范·德·格拉夫"和历史上的物理学家同名,作者意在纪念这位伟大的物理学家的贡献。

在书中,两个静电球相互靠近,产生**不同电性的电荷**,当电荷积累到一定程度时,它们之间会产生非常高的电压。高电压击穿周围的空气,发生放电现象,产生电火花,并发出爆裂声。当然文中关于范·德·格拉夫静电秀的描述,多少有文学夸张的成分。

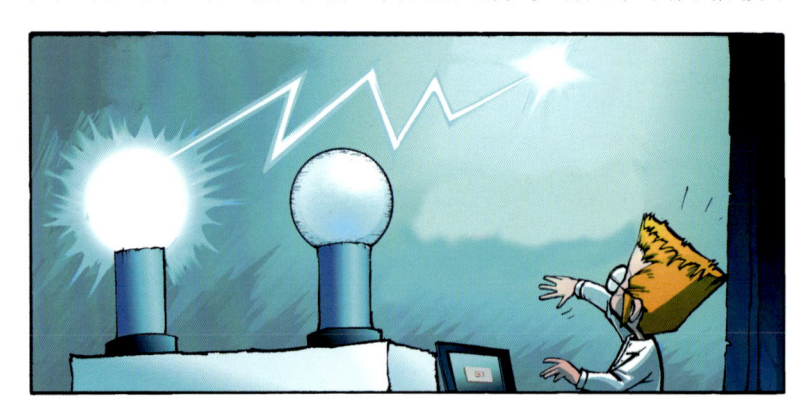

超能力解密13

范·德·格拉夫的离子风枪为什么可以消除静电？

离子能立刻中和物体表面的静电。

范·德·格拉夫使用的离子风枪，和负离子梳的原理相似。离子风枪在工作时可以产生大量的正负电荷。正负电荷随压缩的空气流被吹出来，将静电超人身上的静电荷中和掉。

"只要开一枪，就能永久性消除你的超能力"，意思是一开枪就把静电超人身上的电荷中和掉了。

静电超人科学小课堂

什么是可再生能源?

可再生能源,指的是自然界生态循环中能不断再生、并有规律地得到补充,不会枯竭的一次能源。常见的可再生能源有太阳能、风能、水能等。不可再生能源有煤、天然气、石油等。电能是由一次能源加工转换来的,属于二次能源。书中查理·西马发现,如果静电荷用光了,通过摩擦静电荷可以再次产生。这时他说他获得的"可再生"能源其实是二次能源。

超能力解密14

静电超人为什么害怕水弹袭击?

"我每时每刻都在担心水弹的降临。无论在闹市、海滩还是公园,我一直在紧张地捕捉那一声'啪嗒'……"

纯净水是不导电的,但是我们的生活用水含有很多**电解质**,电解质可以使水变成**导体**。水浇到电器上,就会出现短路的情况。静电超人如果被水浇湿了,积累的电荷会被水传导走,他就无法按照原定路线将电荷发射出去。

静电超人漫画小知识

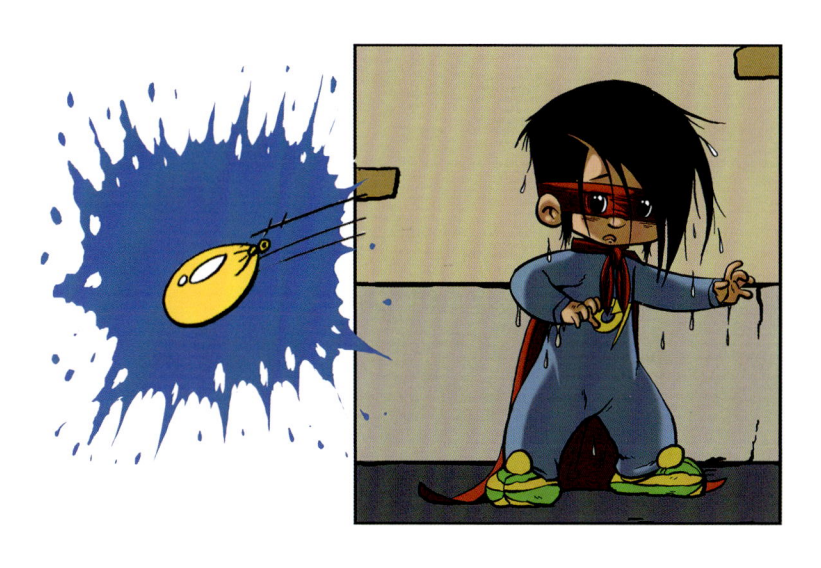

为何超人害怕氪石？

超人是漫画中的超级英雄，他拥有强大的超能力，不过书中却说他非常害怕氪石。这是因为超人的能量来源是地球上的黄色太阳光，而氪石抵消掉了黄色太阳光对超人的作用，能使其失去超能力。常见的绿色氪石不仅能让超人身体虚弱，浑身无力，还会危及其生命，但是超人穿上铅衣后，就像穿上避弹衣一样，即使氪石做成的子弹都射到他的铅衣上，超人也会毫发无伤。

超能力解密15

保罗·马涅提克每次使用雷电团攻击时，为何空气中总弥漫着一股臭味？

保罗·马涅提克在遭遇雷电袭击后获得了雷电团的超能力，他每次使用雷电团后，空气中总会弥漫着一股臭味。这是因为，电闪雷鸣的过程伴随着**光电化学反应**。雷电会将空气中的氧和氮电离并化合成一氧化氮和二氧化氮。雷电产生时，强烈的光化学作用会使空气中的一部分氧气发生化学反应，生成具有杀菌作用的**臭氧**，因此会有一股臭味。

而书中范·德·格拉夫说这是硫黄味，其实是他的错觉，因为硫黄味也有特殊臭味，类似臭鸡蛋味或大蒜臭味。

静电超人科学小课堂

划燃火柴为何会产生刺鼻的气味?

范·德·格拉夫划燃火柴时为什么会产生刺鼻的气味呢?

煤气、酒精在空气中充分燃烧后会产生无毒、无味的二氧化碳和水蒸气等气体。但火柴头含有含硫物质、氯酸钾等化学物质,划燃后,其中的含硫物质就会剧烈地燃烧,并释放出具有刺激性气味的二氧化硫气体。

以前逢年过节燃放鞭炮时,大家闻到的刺鼻的气味就是二氧化硫的气味。因为二氧化硫排放到大气中后,易形成酸雨危害人体,所以为了保护环境和人体健康,目前燃放的多为环保烟花。环保烟花中会减少造成污染的硫黄等化学物质的使用,燃放时,只产生二氧化碳和一些金属硫化物等,而不产生二氧化硫气体。

保护环境,人人有责哟!

超能力解密 16

保罗·马涅提克发出的火红雷电团为什么看起来威力无穷？

雷电的颜色以白色最为常见，也有红色和绿色。保罗·马涅提克发出的火红雷电团，是罕见的**红色闪电**。红色闪电是伴随雷电在天空中的放电现象。当雷电电击地表时，会释放正电荷，而大气是不带电的，所以这时就得释放出**负电荷**来中和**正电荷**，在这种情况下，就会出现碰撞。雷电越猛烈，就越可能出现"红色闪电"。所以，书中才会说"这一定汇聚了他的全部能量。因为这个雷电团从亮白转为火红，看起来威力无穷"。

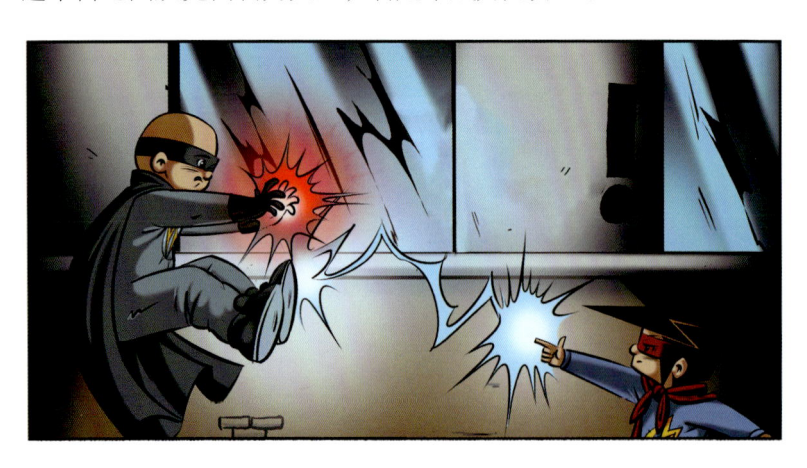

静电超人科学小课堂

闪电也是一种静电现象

闪电就是云与云、云与地面之间的电压非常大时，击穿空气层的放电现象。如果人不幸出现在放电的这条路径上，会被闪电电流击中，从而被高温灼伤，严重时甚至会死亡。

超能力解密17

范·德·格拉夫为什么要往静电超人的拖鞋里偷偷塞细铁链？

在静电超人和保罗·马涅提克对决前，范·德·格拉夫想出一个好办法——在静电超人的两只拖鞋里偷偷各塞进一根细铁链。这两根细铁链就如同**接地电线**。接地线是连接大地的**导线**，又叫**安全回路线、生命线**等。它可以把多余的静电导入大地，防止高压对人体的伤害。

保罗·马涅提克在和静电超人对决时,细铁链可以将保罗·马涅提克发来的电荷从静电超人身上直接导入地下。这相当于把静电超人变成一根避雷针,大大削弱了保罗·马涅提克的攻击力。

建筑物上为何要安装避雷针?

高层楼房等建筑物需要进行雷电防护,通常在建筑物顶端安装有避雷针。阴雨天气,云中积累了大量的静电荷,它们和地面之间形成高电压,击穿中间的空气层,会对建筑物造成损坏。

静电平衡的导体,越尖锐的地方电荷越多,因此,当带大量电荷的雷雨云接近建筑物时,避雷针的尖端会感应出大量的电荷。避雷针与云层之间的空气被击穿,成为导体。带电云层与避雷针之间形成电流的通路,把云层上的大量电荷导入大地,从而达到"避雷"的目的,使其不对建筑物造成危害。

另外,在雷雨天气,要避免在室外打电话、给手机充电,同时身上不要携带金属物体,并远离金属物体;在家里,关闭电视、电脑等设备,避免引雷入室。

超能力解密18

磁悬浮列车行驶的原理是什么？

高速磁悬浮列车的速度可以达到每小时600千米，比高铁还快，甚至和飞行速度稍慢的飞机都能较量一下。那磁悬浮列车是如何行驶的呢？

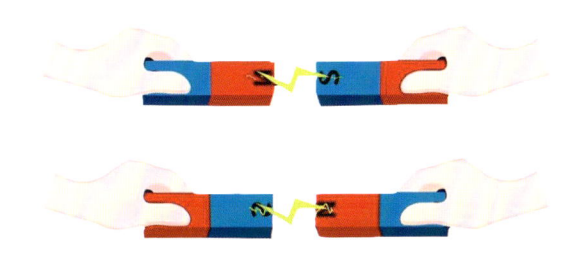

这要从磁铁的特性说起。磁铁的两头一个是N极（北极），一个是S极（南极），让两块磁铁相同极性的一头靠近，它们总是会推开对方，说明磁铁同极之间会相互排斥；而让不同极性的一头相互靠近，它们总会吸在一起，说明磁铁不同极性之间会相互吸引。

"同性相斥，异性相吸"，这是磁铁的特性。

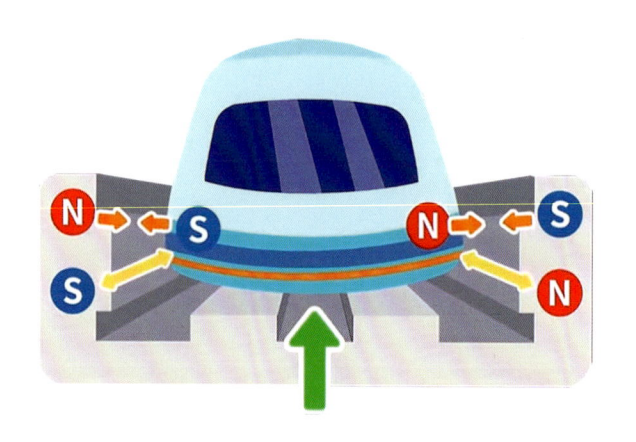

磁悬浮列车的车身上和轨道两侧装有很多线圈，这些线圈就是电磁铁。车身上的电磁铁和轨道两侧的下方电磁铁会相互排斥，同时与轨道两侧的上方电磁铁会相互吸引，从而产生一股强大的力量，把整个列车托举起来，让列车时刻处于悬浮状态。

　　轨道上也有序排列着电磁铁，轨道上前面的电磁铁不断吸引着车身上的电磁铁，而后面的电磁铁则在不断排斥着车身上的电磁铁，**吸引——排斥——吸引——排斥**，最终推动整个处于悬浮状态的列车向前行驶。由于列车与轨道完全不用直接接触，减少了摩擦力和阻力，所以它可以实现高速运行。

超能力解密19

静电超人飞侠能起飞的秘诀是什么？

小朋友们都玩过磁铁，两块磁铁之间有相互吸引或者排斥的力，它们是通过空间中看不到摸不着的磁场产生作用的，这种力我们称为**磁场力**。

电流（通电线圈）和磁铁一样，它的周围也存在磁场。因此，两个通电线圈之间也会有相互吸引或排斥的磁场力，类似两个磁铁的同极相互排斥、异极相互吸引一样。静电超人读的故事书里讲："创造出一个电磁场，使列车悬浮在空中，不与轨道接触。"其实就是让列车在磁场中受到磁场排斥力的作用，悬浮起来，类似于让列车飞起来。

静电超人由此受到启发，向天才好友范·德·格拉夫求助，请求能像磁悬浮列车一样"飞"起来。范·德·格拉夫采用一种可以储存静电的材质制成超人服，他解释说：这套新超人服能摄取静电超人身体产生的**静电流**，从而形成**电流**，创造出一个强大的**磁场**，将电流转化为磁性"气垫"，把静电超人悬空托起来。不过超人服里的电流不是用来产生磁场的，而是相当于放在磁场中的电流，是用来受磁场力"飞起来"的。而产生磁场的装置，文中并未进行描述。可能是地磁场,但地磁场的强弱不足以托起人体飞行。可能是其他的产生磁场的装置,我们不得而知。这里更可能是采用了文学的夸张手法。毕竟,连静电超人自己都说:"至于具体过程,我一点儿也没听明白。没关系,反正我朋友拍着胸脯说行得通。"

超能力解密20

静电超人从天上径直下坠为什么会有眩晕感?

在书中,静电超人在天上飞得好好的,却突然遭遇电力故障,径直下坠,而他说"那种从天上掉下来的眩晕感,仿佛还留在我的胃里"。

从高空径直下坠之所以会有眩晕感,是因为人在坠落时,会经历高速下降的过程,产生**失重效应**,就好像我们在茫茫太空中一样感受不到重力。这会对人体的平衡感受器产生刺激,尤其是对耳前庭和半规管敏感的人群来说,症状更为严重,使得人在落地后出现头晕、呕吐等不适症状。而且在下坠的过程中,人体受到加速度的影响,可能导致脑部短暂缺血,从而引发落地后的头晕和呕吐。另外,突然从天上径直坠落,人都会感到非常紧张和恐慌,这种心理状态可能会使身体产生应激反应,导致身体出现不适感,从而头晕和呕吐。

静电超人生活小妙招

如何正确应对电梯故障？

乘坐电梯时，遇到电梯故障，电梯径直下坠时，应该怎么办？

首先要保持冷静，不乱蹦乱跳，然后迅速按下紧急按钮。同时，按亮所有楼层的按钮，保证在紧急电源启动后，电梯停止下坠。在电梯里一定要做好自我保护，膝盖弯曲，踮起脚，双手抱颈，整个背部和头部紧贴电梯内墙，呈一条直线，利用电梯墙来保护脊柱。

记得按下警铃报警。如果手机有信号，可以拨打119向消防员求救，切勿强行扒开电梯内门。在专业人员来救援时，一定要听从救援人员的指挥，配合救援行动，以保证安全。

静电超人大考验

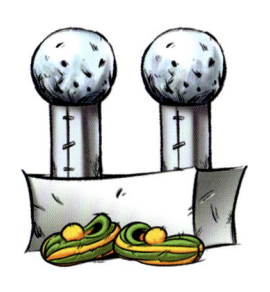

理论知识已经学完,
现在开始考验你的动手实验能力!
这可是最后的关卡,加油!

静电超人科学小实验 1

摩擦起电

扫码观看实验视频

（1）实验材料：

气球、纸屑

（2）实验步骤：

用气球在头发上进行反复摩擦；

将气球靠近纸屑。

（3）观察实验现象：

_____。

（4）实验说明：

气球和头发原本都是由相同数目的正电荷和负电荷组成的，并不带电。

气球和头发在摩擦时,表面的电荷会因为摩擦而松动,其中气球吸引负电荷的本领更强大,就把部分负电荷拉到气球身上。结果气球上负电荷增多,头发上的负电荷减少,于是气球和头发带电荷总量都不再是零,气球上的负电荷多于正电荷,我们说气球带了负电。同理,头发带了正电。这种摩擦使物体带电的方法叫作摩擦起电。

摩擦之后物体带的是静电,带电的物体有了吸引轻小物体的性质,所以气球会将纸屑吸上来。

将你实验成功的照片粘贴在此处吧!

静电超人科学小实验2

"火山喷发"

扫码观看实验视频

（1）实验材料：

雪碧1瓶（或可乐等其他碳酸饮料）、泡腾片若干

（2）实验步骤：

将泡腾片掰成小块（雪碧瓶口较窄）；

将雪碧打开，把泡腾片快速放进雪碧瓶中。

（3）观察实验现象：

_____。

（4）实验说明：

　　泡腾片是一种含有碳酸氢钠和柠檬酸的药片，当和雪碧等碳酸饮料相遇时，泡腾片中的碳酸氢钠就和雪碧中的二氧化碳发生反应，产生了碳酸气体。碳酸气体的产生使混合物中的压力增加，从而导致了冒泡现象。

将你实验成功的照片粘贴在此处吧！

静电超人科学小实验 3

柠檬发电

扫码观看实验视频

（1）实验材料：

柠檬 3 个、小灯泡 1 个、铜片 3 片、镁片 3 片、导线若干、鳄鱼夹 6 个

（2）实验步骤：

将鳄鱼夹的两端分别夹镁片和铜片；

将连接小灯泡两端的导线和鳄鱼夹相连，黑色鳄鱼夹夹镁片，表示电源负极；红色鳄鱼夹夹铜片，表示电源正极；

按照右图所示的实验电路图顺序，将器材顺次连接起来，这些构成了电源；灯泡及灯泡两端的导线，构成外电路；

将最后一片金属片插入柠檬中，电路就导通啦！

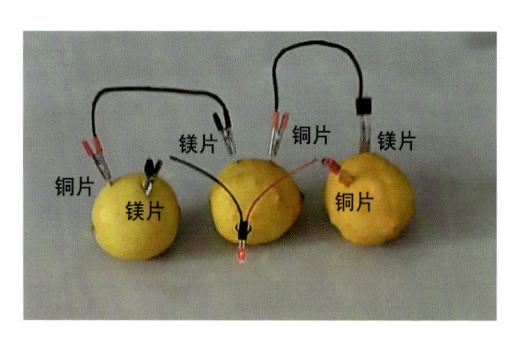

（3）观察实验现象：

_____。

（4）实验说明：

柠檬电池是由柠檬（酸性）、金属片、导线制作而成的。我们采用铜片、镁片制作电路，镁片由于易失去电子，作为负极，铜片不易失去电子，作为正极。柠檬中的酸性液体相当于电解液。电子通过电解液流向负极，又经过外电路的灯泡流回到正极。这样，柠檬电池就可以不断为灯泡供电，灯泡就亮起来啦！

将你实验成功的照片粘贴在此处吧！

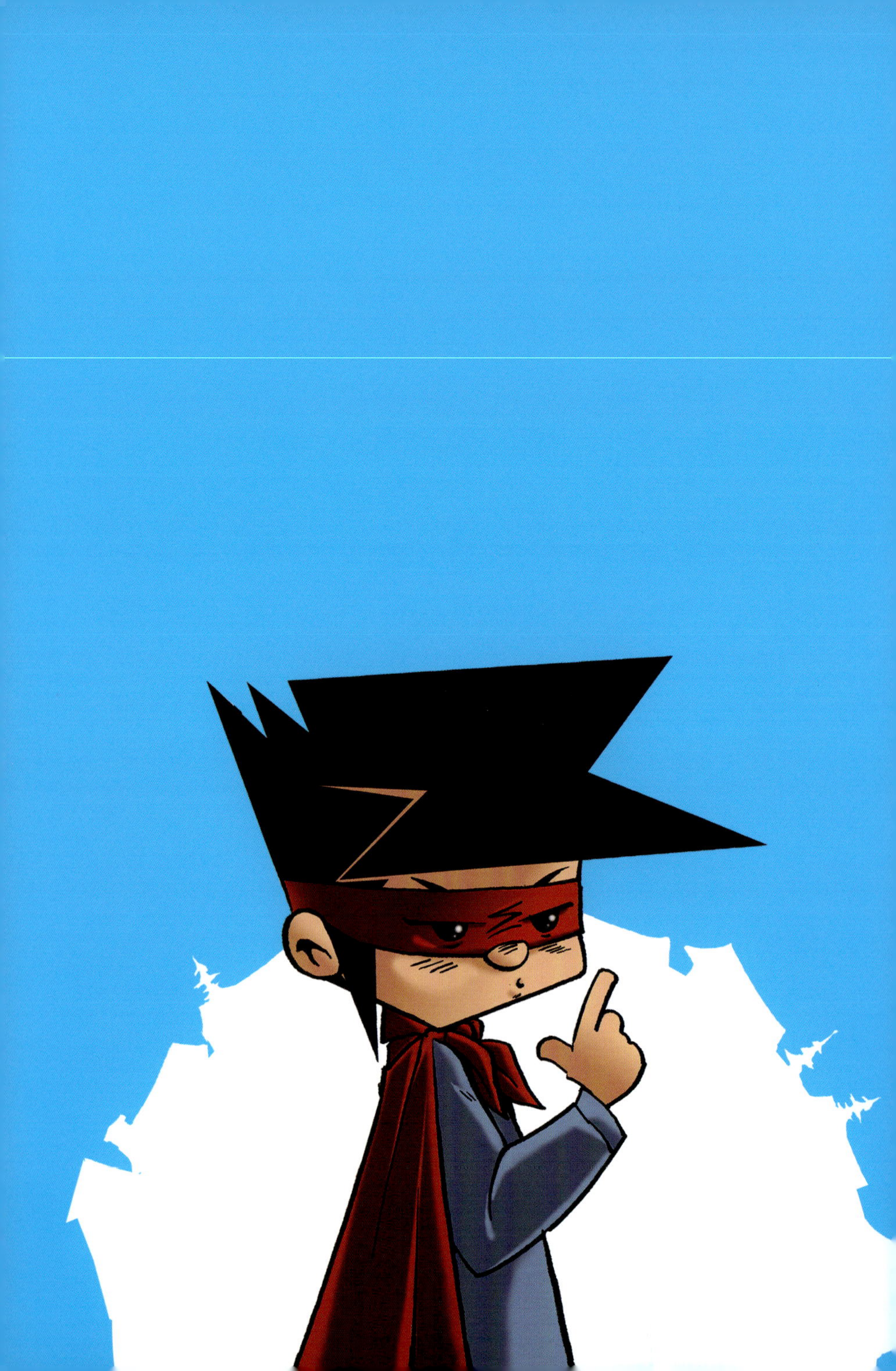

恭喜你闯关成功，
成为"静电超人训练营"的一员！
和我一起守护城市的安宁与和平吧！

静电超人之歌

谁是这个了不起的新英雄?
静电超人,静电超人!
快来了解他的全新超能力,
准备感受如电流般的刺激。
他只要动动手指,
就会发生奇迹……

静电超人,他就是静电超人!
谁摩擦,谁起电!
静电超人,他就是静电超人!

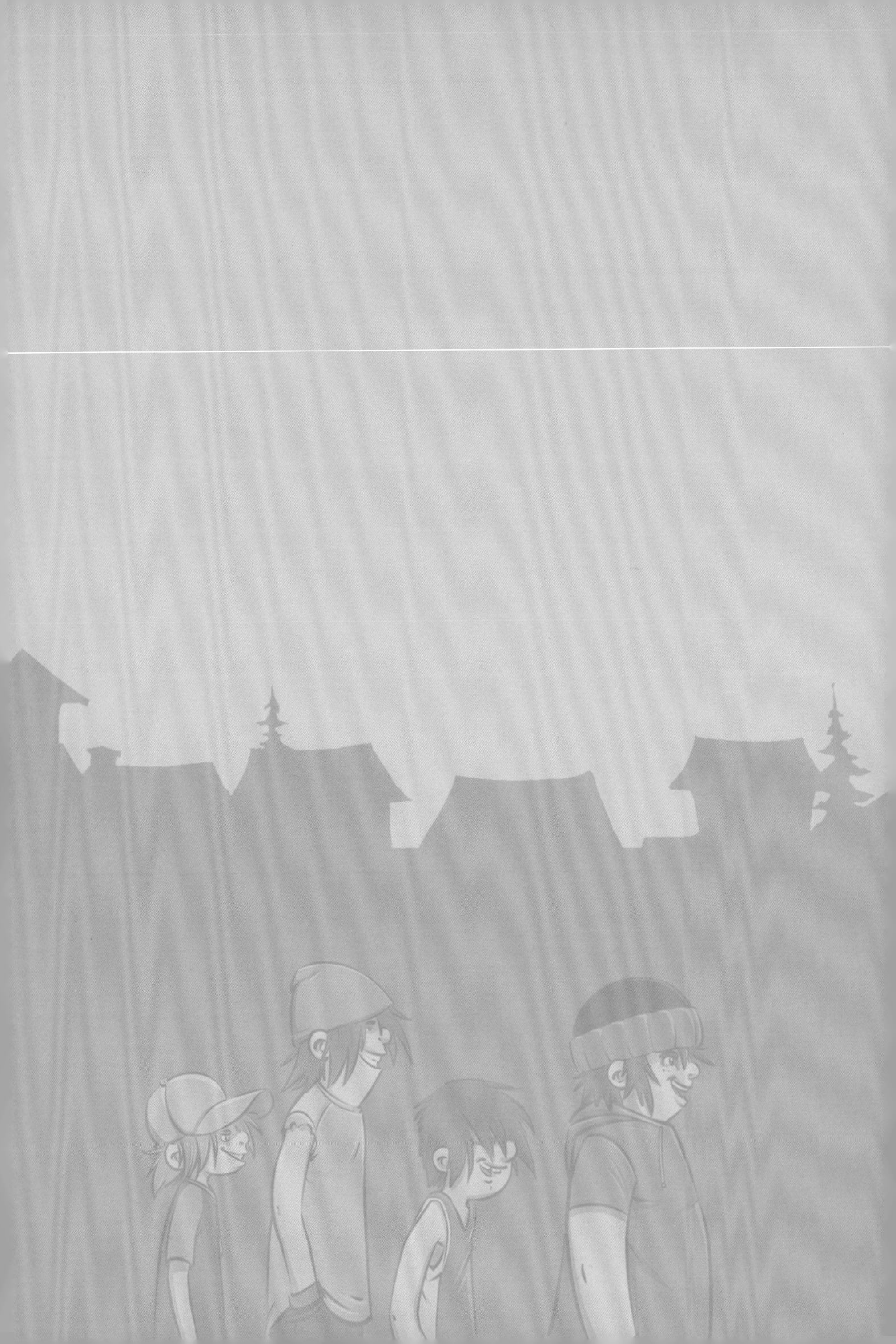